Ma santé

Je vais chez le docteur

Ian Smith

Texte français d'Hélène Rioux

Éditions SCHOLASTIC

Catalogage avant publication de Bibliothèque et Archives Canada

Smith, Ian (Auteur pour les enfants)
[Going to the doctor. Français]
Je vais chez le docteur / Ian Smith ; texte français d'Hélène Rioux.

(Ma santé)
Traduction de : Going to the doctor.
ISBN 978-1-4431-4960-0 (couverture souple)

1. Prestation de soins--Ouvrages pour la jeunesse. 2. Médecins--Ouvrages pour la jeunesse. 3. Santé--Ouvrages pour la jeunesse.
I. Titre. II. Titre: Going to the doctor. Français.

R130.5.S6514 2016 j610 C2015-904636-X

Conception graphique : Astwood Design

Édition publiée par les Éditions Scholastic, 604, rue King Ouest, Toronto (Ontario) M5V 1E1, avec la permission de QED Publishing.

Références photographiques :
Légende : h = en haut; b = en bas; g = à gauche; d = à droite; c = au centre; pc = page de couverture

Shutterstock 5h beerkoff, 12b Preto Perola, 15b spflaum, 19c design56, 19b HamsterMan, 24b Preto Perola

Steve Lumb pc, 3b, 4, 6c, 9, 10b, 11h, 11bg, 13b, 14, 16-17, 20-21, 22

Les mots en **caractères gras** figurent dans le glossaire de la page 24.

5 4 3 2 1 Imprimé en Chine CP141 16 17 18 19 20

Table des matières

À mon réveil, je ne me sens pas bien. Mon front est chaud. Maman dit que j'ai de la **fièvre**.

Elle appelle le médecin et prend un **rendez-vous**.

C'est la première fois que je vais voir le docteur. Je suis un peu inquiète, mais maman dit que tout ira bien.

La salle d'attente

En arrivant chez le docteur, nous parlons à la réceptionniste. Nous lui disons que nous avons un rendez-vous.

Nous devons rester dans la salle d'attente jusqu'à ce que le médecin puisse nous voir.

La réceptionniste m'assure que nous n'attendrons pas longtemps.

Le médecin

C’est bientôt à mon tour de voir le médecin. Maman m’accompagne.

Le médecin est une dame. Elle me salue et me dit comment elle s’appelle.

Elle me demande de m’asseoir.

La docteure veut savoir ce qui ne va pas. Maman lui explique la situation.

La docteure me demande de tirer la langue. J'ouvre la bouche bien grand et elle examine ma gorge.

« Maintenant, je vais prendre ta **température**, dit-elle. Je dois vérifier si tu as de la fièvre. »

À l'aide d'un **stéthoscope**, la docteure écoute les sons dans ma poitrine et dans mon dos. Elle peut entendre mon cœur et mes poumons.

Le stéthoscope
est froid sur
ma peau.

La docteure se sert d'un instrument en forme d'entonnoir pour examiner mes oreilles.

Elle l'introduit dans mon oreille, mais cela ne fait pas mal.

Puis la docteure me pose des questions pour savoir comment je me sens.

Elle dit que je vais aller mieux, mais que je dois prendre un médicament.

Elle donne à maman un papier sur lequel est écrit le nom du médicament dont j'ai besoin.

Cela s'appelle une **ordonnance.**

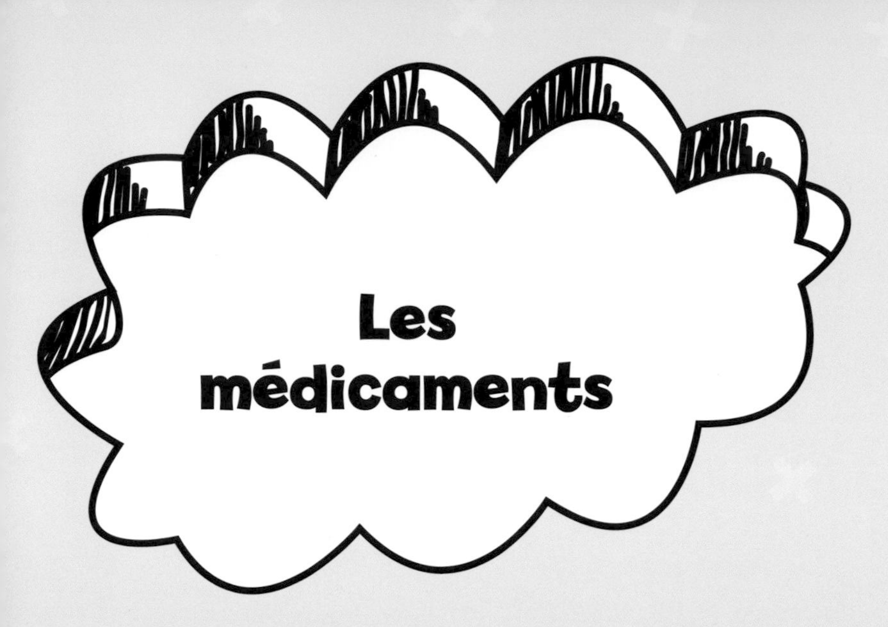

La docteure me sourit et dit :

« Dors beaucoup et prends ton médicament. Bientôt, tu te sentiras mieux. »

En rentrant à la maison, nous nous arrêtons dans une pharmacie pour acheter mon médicament.

Mon nom est écrit sur le flacon ainsi que la façon dont je dois prendre le médicament.

Une fois à la maison, je mets mon pyjama et je me couche.

Maman me donne une cuillerée du médicament. Il a un drôle de goût, mais je l'avale.

Dans mon lit, je repense à ma visite chez la docteure.

Elle était gentille et elle m'a aidée à guérir.

Je pense que j'aimerais bien être médecin quand je serai grande.

Glossaire

Fièvre Quand tu as de la fièvre, ton front est chaud parce que tu es malade.

Ordonnance Note du médecin sur laquelle sont inscrits les médicaments que tu dois prendre pour te soigner.

Rendez-vous Moment fixé pour voir le docteur.

Stéthoscope Instrument pour écouter les sons à l'intérieur de ton corps.

Température Chaleur de ton corps.